C0-AWA-025

Colmena de papel

Diseño y maquetación: Ediciones Amargord
© Fotografía de la solapa: Steven White
Portada: Pintura "Micromundo" Técnica: Acrílico sobre lienzo
© Autor: Esthela Calderón
© Nota: Todas las pinturas que se encuentran en el interior de este libro, son también de la autoría de Esthela Calderón.

© Cana negra, s.l.
Arévalo, 11
28770 Colmenar Viejo (Madrid)
© De los textos, Esthela Calderón
© Translations, by Steven F. White

info@amargordediciones.com
www. amargordediciones.es/.com
ISBN: 978-84-120857-5-4
Depósito Legal: M-30392-2020

© Todos los derechos reservados
1ª Edición: Madrid 2020-2022

Ninguna parte de esta publicación, incluido el diseño de la cubierta, puede ser reproducida, almacenada o transmitida en manera alguna ni por ningún medio, ya sea eléctrico, químico, mécanico, óptico, de grabación o fotocopia, sin permiso previo del editor.

Esthela Calderón

Colmena de papel

(poesía y pintura)

Paper Beehive

Translated by Steven F. White

Esthela Calderón

Colmena de papel
(poesía y pintura)
Paper Beehive

Translated by Steven F. White

La fe es un grano de polen, honor y gloria a él.

Desde el primer día existían: ella,
el musgo, el agua, la hiel, el papel y el alumbre.

Se pasaban las horas
fabricando impecables guardas con disfrute rutinario.

Una voz como canto de chicharra les ordenó:
¡Quebrar el molde! ¡Torcer los rastrillos!
¡Cambiar los colores! ¡Mover los punzones!

Fueron obedientes.

Entonces, arribaron los granos de polen.
Por los siglos de los siglos.
Amén.

La conciencia simula ser invisible como una lluvia de polen.
Polen eres y en flor te convertirás.

Llegada la primavera
los granos de polen saltan al vacío.
Van felices llenos de recuerdos
apretujados en sus acorazados cuerpecitos.
Si hay lluvia pueden resbalarse sobre las gotas y, si no hay,
aprovechan la fuerza del viento para rodar
entre los rayos del sol.

Es un jolgorio pigmentado
como si una bocanada invisible les ayudara a partir.

Hay una ronda de fragantes Tomillos, Romeros y Rosas
que brillan con la luz reflectada del río.
Exhalando olores, esperan a sus fieles peregrinos
que se colarán en el ojal de sus risas
a cuajar nuevas semillas.

Dicen que las flores, nacen de sus recuerdos
y viven sin pensar en la muerte.

Los granos de polen
son diminutos amores
que tropiezan de nuevo entre sí.
Su memoria alcanza en pequeñas curvaturas
ofrecidas por las flores.
Cada pequeñez está impregnada
de la huella que debe seguir,
hasta alcanzar la evidente felicidad
de quien le espera.

Nacer y morir es lo que hay.
Cuando tenga a la reina, te devolveré a tu prole.

Miles de ojos desde la oscuridad
observaron el posible canje.
Un esperanzador pronóstico.
Un nuevo curso al infértil destino.
¿Será posible?

Hicieron traer a la reina
hasta el portal de un Pino casi cadáver.
Parecía una ciega bien alimentada.
Miraba sin mirar.

Nacer de primero tiene sus ventajas (solía repetirse)
cada vez que tragaba la leche que era de sus hermanas.

Cuatro hermanas que no se conocieron entre sí
tenían una historia en común:
su hermana mayor les había extirpado la cabeza.
¿Cinco reinas? ¡Imposible!

No pensar en nada más que volar…
también en comer, dormir y cagar.
Y en la muerte ¿Qué es la muerte?

La vio salir tambaleante al portal de Pino.
Estaba sofocado en medio de la turba
que prometía toda una prole
a cambio de tener un vuelo con la reina.

Él era uno de los elegidos para expulsar en ella la vida.
Alimentado y cuidado para ser un verdadero macho.
Aguardar, hacía que la lujuria se le saliera por los ojos.

Alzó vuelo con sus ojos saltones
puestos en el enorme trasero de la monarca.

Aventajaba lo más que podía
mientras muchos se desmayaban de cansancio.
Ella volteó la mirada para asegurar sus quehaceres
con la casi docena de tórridos amantes que quedaban.

Se precipitó contra el
que se empujó primero.
Embelesado se aferró al aturdimiento
de la batalla de la que nadie regresa.

Honor exclusivo de acabar mutilado por amor.

Se rompieron las alas antes de volar.
No hay nada más temible para el hombre que ser libre.

Perseguir, aniquilar, matar, envenenar, desaparecer,
son las cualidades inteligentes
con las que se pavonean dos erguidas extremidades.

La mente saborea la sangre de su festín
a distancias imprecisas.
Lo que decida, ésa será su presa.

¡Ay! malaya suerte ser la especie humana.
Son animales que, al atacar y exterminar al otro,
lo hace para sí mismo.

Haraquiri sin nobleza, daga sin refinamiento,
sable sin maestría, flecha sin sabiduría
lanza sin valor, revólver sin pulso,
honda sin corazón y espada sin señorío.

Son atributos esculpidos por el ojo ciego.
Cuando cual si fuera una flema expulsó de su gañote
al primer hombre en medio de su antojadizo círculo.
Nacieron enfermos contagiados por su saliva.

Lo más detestable para la imagen y semejanza
es ese fulgor que no obedece y sabe volar.

La hembra, la mal nacida, la buscona, la bruja,
la puta, la innombrable, la endemoniada, la escandalosa,
la fulana, la zorra, la libertina, la pecadora, la vulgar,
la ordinaria, la grosera, la tonta, la atrevida, la inculta,
la arrogante, la vanidosa y un poquito más.

Así le dicen a la que fue capaz de salvar a su dios.

Porque la ceguera no es solamente un asunto de no ver,
sino de no ver lo que no se quiere ver.

Dicen las obreras que, cuando dios quedó ciego de un ojo,
decidió inventar el universo.
Para curarse era necesario
un buen propósito que le alegrara la vista.

Se encaprichó por un lugar de apariencia redonda
al que le fue instalando cualquier forma que se le ocurriera.
Flores, plantas, animales, insectos,
frutas, aves, piedras, agua, árboles…
Todo lo que su oscuro delirio le dictara.

De un escupitajo colocó en aquella redondez
a una criatura de afectos deformes y malvada ternura.
Decidió aplicarle su fiel semejanza, menos el ojo.

Lo soltó castamente puro
para que hiciera todo lo que él no podía hacer.
Era lo más perfecto que podía cimentar.
Esculpirse a sí mismo, pero con dos pupilas.
Después de cada invención aumentaba el gran deseo
de avivar la atención de aquel su ojo inservible.

El fastidio era la compañía en la tiniebla de su tiempo.
Todo lo que había en aquel lugar tenía sonido
menos su imagen que no sabía expresar nada.
¿Había nacido muerto?

A punto estaba dios de anular todo
cuando su ojo vio pasar un fulgor inesperado
que le pronosticó impaciencia y apego.

Se puso temeroso de perder su dominio.
¿Quién se atrevió a poseer la vida en medio de la nada?
Un destello que no había sido su ocurrencia.

Se dio cuenta que de nuevo ¡Podía ver!
Pero su encandilado ojo
tenía un ímpetu sádico repleto de castigos.
La insólita claridad no le pertenecía.

La eternidad no depende del tiempo,
porque para ser feliz los calendarios se rompen.

Muchos adultos cuando fueron niños
quisieron ser robustos abejorros.
Yo todavía quiero serlo, aunque no sobreviva
ni al primer invierno ni a la quemazón del sol.

Un abejorro divertido, de cuerpo velludo
adornado con rayas amarillas, anaranjadas o blancas.
Con las piernas bien largas y lengua seductora.

Vagar por los jardines
y poder dialogar con el refinado lenguaje de las flores.
Ser su celestino, su confidente,
con una buena paga de néctar.

Perseguir a unas cuantas obreras
y convencerlas de que me lleven a sus piezas.
A cambio ellas chuparían el polen pegado en mis…. patas.

Un abejorro, quiero ser un abejorro.
Un cantante entusiasta
sobre los campos olorosos de Lavanda
o un compilador de historias
de las perennes Mejoranas.

Un abejorrito con su casita de barro.
El pacifista de toda mi familia,
sin la necesidad de un aguijón que me defienda.

Detector de las malvadas arañas
que se agazapan y corrompen a los capullos.
Pasearme por las avenidas primaverales
donde desfilan las pequeñas mariquitas.

Volar hasta donde mis pequeñas alas aguanten.
Y vivir…vivir la eternidad
en treinta y dos semanas.

Cuando la memoria falla, ningún camino sirve de guía.

Exhausta,
cruza los mismos campos
la obrerita fatigada.
Una vuelta y otra y otra
hasta que se derrumba.

Los canastos pesan.
Busca sin remedio el regreso a casa
Hoy ya no se acuerda,
mañana tampoco.

Mi casa, ¿Dónde está mi casa?
Llora desconsolada y se duerme.

Un elegante Clavel
bañado en la nueva nicotina
la mató.

Un amor tóxico
te puede tocar en cualquier parte.

Frente a frente,
no saben cuál de las dos es su reflejo.

Son una multitud de iguales.
En los mismos agujeros montones de nada
perforando la túnica que las aprisiona
en el enjambre inhóspito ya sin fortuna.

Ha quedado ahí junto a sus hermanas.
Su madre no ha querido llevarle a una nueva casa.
Ella no sabe que existen las madres,
mucho menos que tiene hermanas.

Uno de sus pares rompe la túnica del encierro.
Se asoma, le abre los ojos y se refleja en ellos.
Se asusta, porque al verla, se mira.

Soy Apis, la reina.
Las reinas nacemos teñidas por la vileza
y bizarras para la competencia.
El primer acto triunfal es de sangre.

Pobre de aquellos que se creen valientes y fuertes
y la sigan hasta su poderosa cumbre.

Conocerán la dicha de experimentar
el gozo doliente del que nadie regresa.

No hay testigo que describa el viaje nupcial,
en donde al menos siete holgazanes
perdieron todo el bulto viril con las bolas incluidas.

No hay mejor historia de amor
que la inexistencia de huellas.

La haré parir millones de obreras
para hacer resurgir el imperio de los bosques.

En el portal, una luz dorada le dio
finos pinchazos en los ojos.

Se sentía confundida en medio de los sonidos
que la animaban a lanzarse delante de ellos.

Se había destapado su destino
en esa parte del tiempo que ya no retrocede.

A una nueva esclava le han calculado su reino.
Es hora de aprender a ser un Dios, (pensó).
Y dejó que la siguieran.

Para algunas parir es el mejor destino,
para otras, una mierda.

Debía volver a la oscuridad del aposento
con la perpetua preñez como consuelo.

Era el momento de llenar la casa
con hembras y machos
que no se distrajeran con muestras de amor.

Ni siquiera con ella,
su madre.

La fortuna de una obrera es la infertilidad,
dejar descendencia sería mucho abuso.

No había mucho que decir o que enseñar.
Los úteros secos no guardan recuerdos,
ni eligen un nombre.

Nacen y trabajan, trabajan y nacen.
Y un día de tantos,
no hallan el camino de regreso a casa.

Pobres obreritas que a nadie hacen falta.
La que no regresa, otra la reemplaza.

La sangre puede ser tan fina
como la amarilla seda que fabrica un gusano.

Hay que empapar de colores la superficie del agua
y evitar caer en ella como pesada gota que toca fondo
o como un trébol de cuatro hojas cercenado junto al césped.

Ambos, la gota y el césped, han sido envenenados por la repetición.

La una se escurre hasta abajo con su vencida gravedad
y el otro surge de la tierra con su franca sonrisa.
Innumerables muertes sin ser ninguna las suyas.

Las obreras ofrendaron su fecundidad a los tréboles
con la buena vida que se les fue entre cuatro hojas.
Un pesado rumbo que cada vez que lo cercenan,
toca fondo como pesada gota.

Una colmena guarda mucha vida, aunque sea de papel.

En invierno el sol decide atarse un nudo al cuello
y patear la silla donde descansan los meses.
Diciembre, enero, febrero, marzo y abril.
Tanto frío hiriendo sin matar.

Hay una pausa impuesta para sobrevivir como las fieras.
Dormir el blanco silencio de las ofrendas funerarias
sin dejar de parir la prole que debes dejar.

Cuando vuelva el sol
no habrá comida para tantas bocas.
Sus hijos son primero.

Adiós, vieja Apis, ¡fuera de aquí!
Tu hija seguirá pariendo,
después de arrancar
cabezas, pitos y pelotas.

Piensa siempre en lo que usas para cubrirte
porque hacia adentro está tu vida.

Hasta la luna (dicen) se va a derretir
porque el sol conoce la mala y escasa calidad de su ropa.
No es difícil imaginar lo que le pasará
a la brutal especie de los inteligentes.

Un granito de polen no se deja llevar por la moda.
Es noble, leal, refinado, discreto y galán.
Obedece solamente a su espíritu y al irremplazable linaje
de ser un bienhechor de todo lo que nace y vive.

Un quijotito de armadura impenetrable,
de aguda mirada por los molinos de viento,
cabalgando en las piernas de una obrera.

Por siempre,
cautivo fiel de su Dulcinea,
sin un Sancho de testigo.

La perfección también puede ser modificada.
La especie humana es experta en deformar todo lo bello.

Regocíjense criaturas de la tierra.
Con la lluvia de tiametoxam que alimenta
el cauce de las deformaciones y la demencia
(Para no olvidar: "*Si es Bayer, es bueno.*")
Con la tierra pulverizada en un continente de plástico,
sin vecindarios de aves, ni manada de animales
y sin un árbol que lance sombra.

Alaben con cánticos nuevos.
Al océano químico que devora el bostezo de los osos
y tiñe de petróleo a los delfines.
Al Alzheimer de las abejas que amontonan semillas infectadas.
Y por las playas sucias que aplauden las orgías de las guerras.

No se cansen de ensalzar.
A las aguas podridas que vomitan flores deformes.
A la humanidad de cerebro tullido
que ha construido ciudades invisibles,
tecnología tramposa y religiones falaces.

Aplaudan, dancen y celebren.
Por la esencia del ojo ciego que les acredita la destrucción.
Por los robustos pilares de sus fechorías
y por el dolor que causa el libre albedrío.

Empáchense hasta reventar de avaricia y lujuria.
Porque todo será rescatado, sanado y renovado.
El mundo resucitará completo
ya sin ustedes, los hombres.
¡Aleluya!

El honor de cada uno siempre será cuestionable,
máxime cuando quien lo pone en duda
no proviene de un mundo raro.

Habían perdido mucho tiempo alimentando a sus ejecutores.
Anunciaron la urgencia de salvar sus casas
y defender a sus escasos hijos.

La mejor manera sería regresar por dónde llegaron.
Aferrarse al papel y a los pigmentos de la memoria
en donde ella permanecía pintando su morada.

Ajustar por fin las cuentas para remachar el honor.

Todos moriremos.
Yo voy a morir, viviendo lo que no se muere.

Por la tarde,
a la hora que el café se queda frío en su taza de loza
y la mesa duerme su siesta
con el mantel migajoso y ajado
después del almuerzo.

Una niña cuenta las hojas.
Huele las flores del arrugado mantel
y se reparte unas gotas de miel con la obrerita
que vive detrás de la casa.
Luego, acomoda su cuerpo raquítico
debajo de la manigueta que hace girar su abuela.

Medida tras medida va moliendo los granos tiernos
de la nueva cosecha de elotes.
Disfruta de las pringas que recorren su frente.

Y como si se tratara de almidonadas lágrimas,
baja la leche del tierno Maíz por sus grandes ojos
y una a una mueren en su lengua al abrir la boca.

La soledad es muy parecida al sonido de una motosierra.

Caen los más viejos y con ellos el valor de sus años.
Cada día hay desahucios y silencios.

Aumentan los panteones
y no hace falta emigrar para conseguir
el sueño dorado de tener tu propia tumba.

El hombre nunca supo soñar
porque su mayor dote fueron las pesadillas.

Dale supremacía a un maniático
y verás cómo utiliza de corbata tus tripas
mientras te convierte en su héroe.

¡Soledad, no tardes!
Es la hora de hacer sonar tu melódica voz
rompiendo su chaleco antibalas.

El futuro no existe en un limitado cerebro
que rememora solamente el desfigurado pasado
que repite una y otra vez nuestro presente.

Y con el tiempo,
dejó de crecer la necesidad en los hombres
de respetar la belleza de las colmenas
y los granos de polen.
Por el contrario,
decidieron romper el lazo de las bestialidades,
imaginando que de esa manera no llegaría el futuro
que los tornara otra vez en seres efímeros.

Querían llenar con inmensos aguijones
las ambarinas ciudades construidas por las obreras.
Invadían los habitáculos devorando a los más pequeños
y a sus cuidadoras les arrebataban el tórax
como alimento para los suyos.

Pero una tarde de aquel único día repetido,
el tiempo los engañó.
Ya no quiso otorgarles la manija de las 24 horas
con el principio y final de inocentes parricidas.

Empezó la noche a extender su ansiada sepultura.
Casi todos fueron a parar
a aquella ranura calada en la tierra.
Acabaron con el aliento más frío que el de las ágatas
y con las pupilas secas por el abandono.

Había indicios de la exhalación del futuro
con otra sangre también envenenada
con el aguijón reluciente
de un criminal pasado.

La mayor desventura es celebrar una alegría que no posees,
un engaño tan grande como los que dicen que te aman.

Nadie habrá para escuchar tus quejas
mientras se derrumba todo el mundillo
que alguna vez dominaste.

Aquí yace el detestable que un día se creyó tu dueño…

ILUSTRACIONES
ESTHELA CALDERÓN

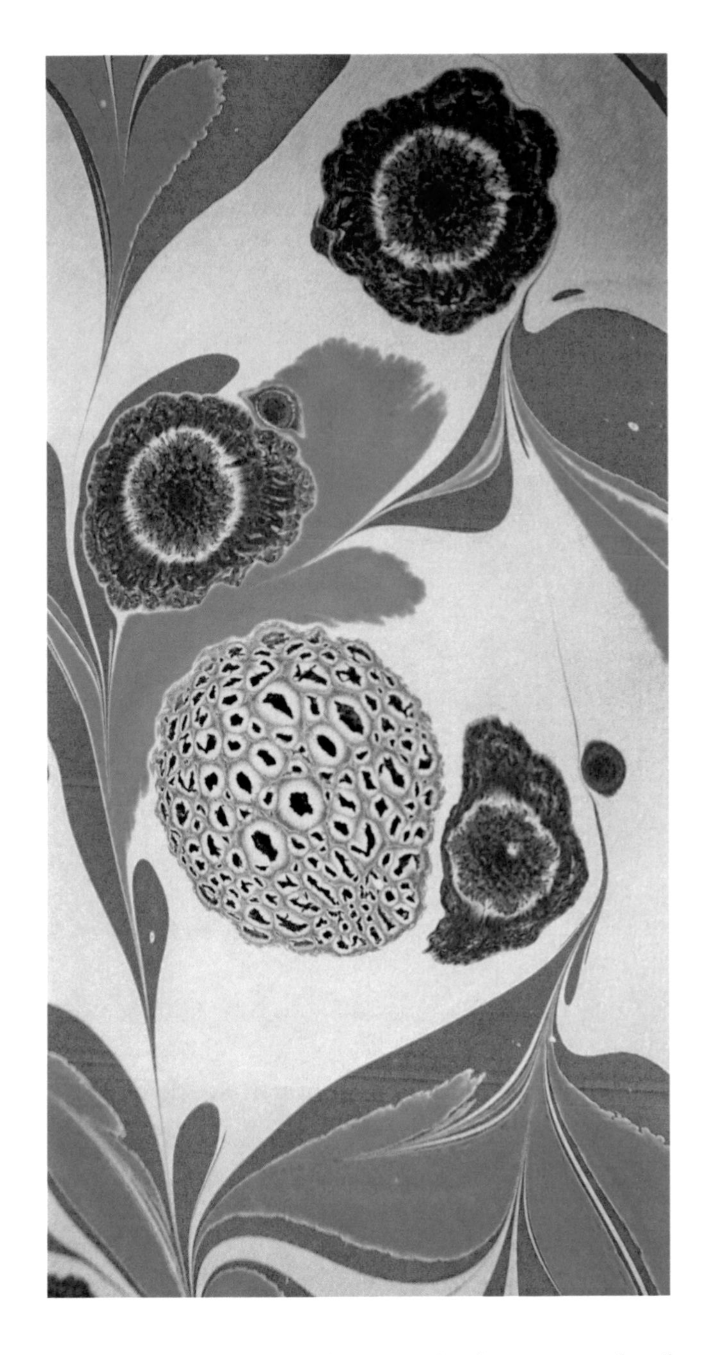

Título: Grano de polen, en técnica marmoleado

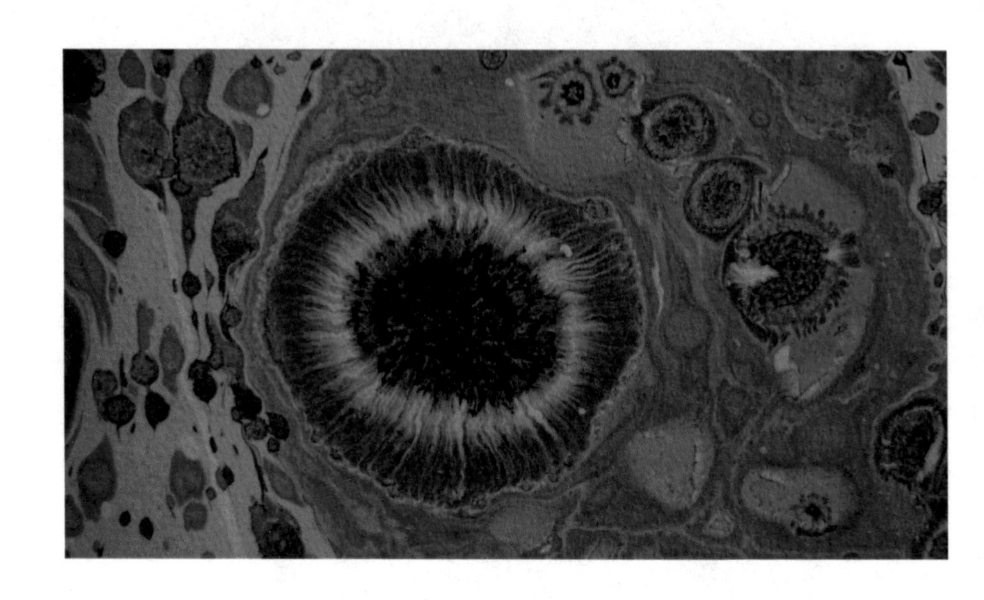

Polen #2, en técnica marmoleado

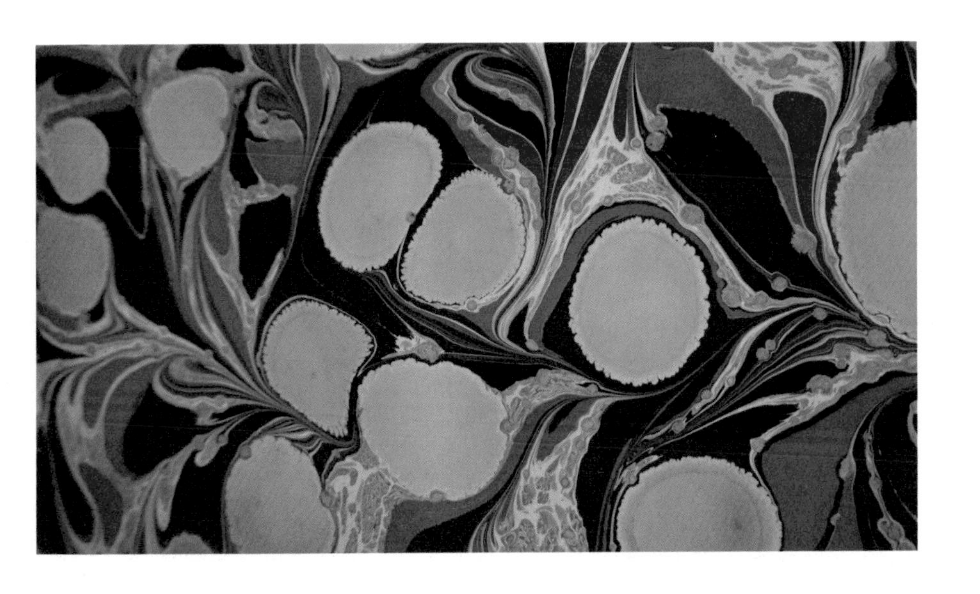

Título: Polen #3, en técnica marmoleado

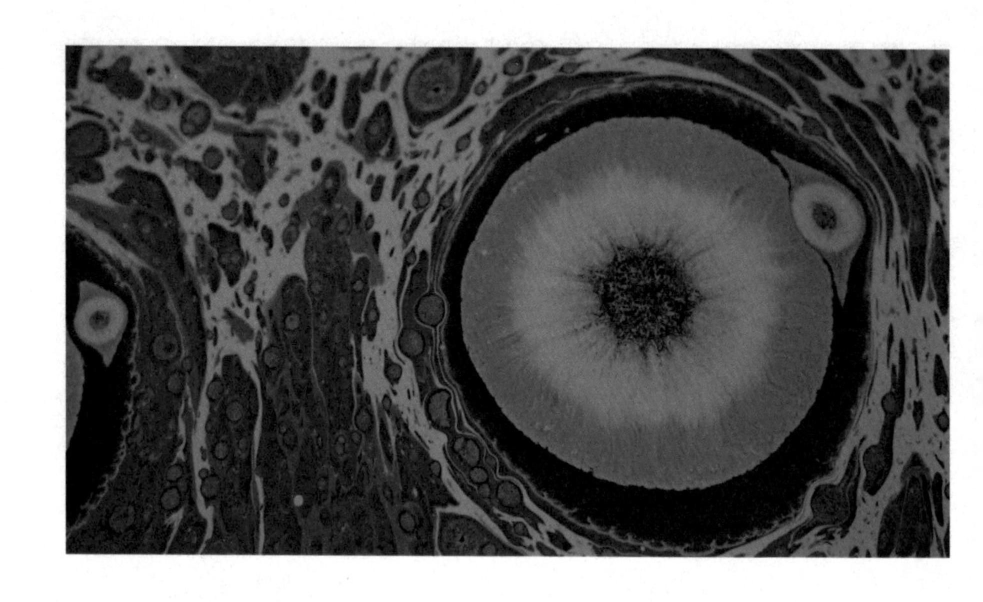

Título: Polen #4, en técnica marmoleado

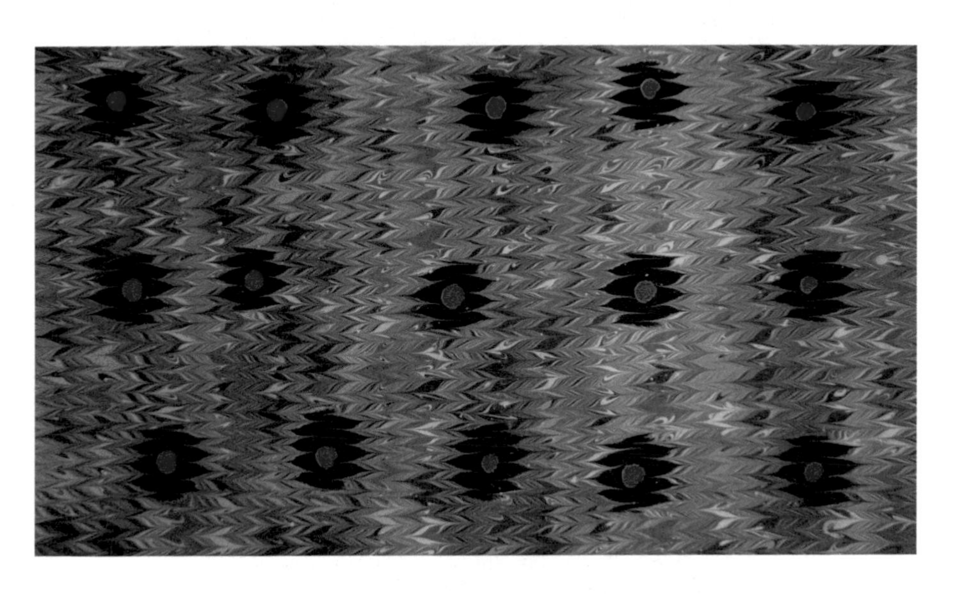

Título: Polen #5, en técnica marmoleado

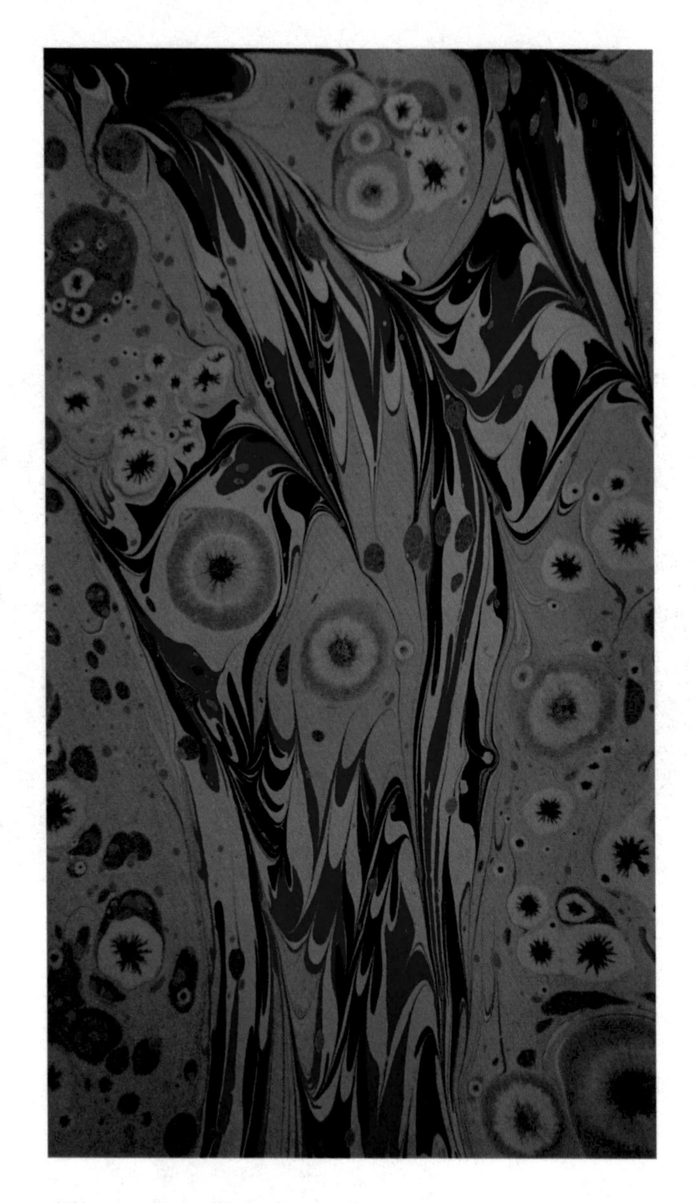

Título: Fertilidad, en técnica marmoleado

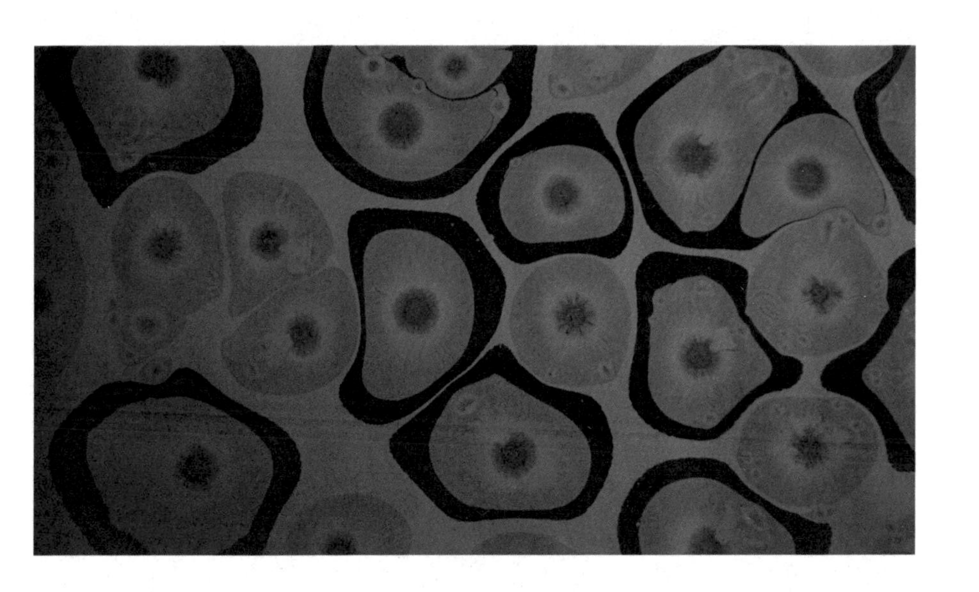

Título: El ojo ciego, en técnica marmoleado

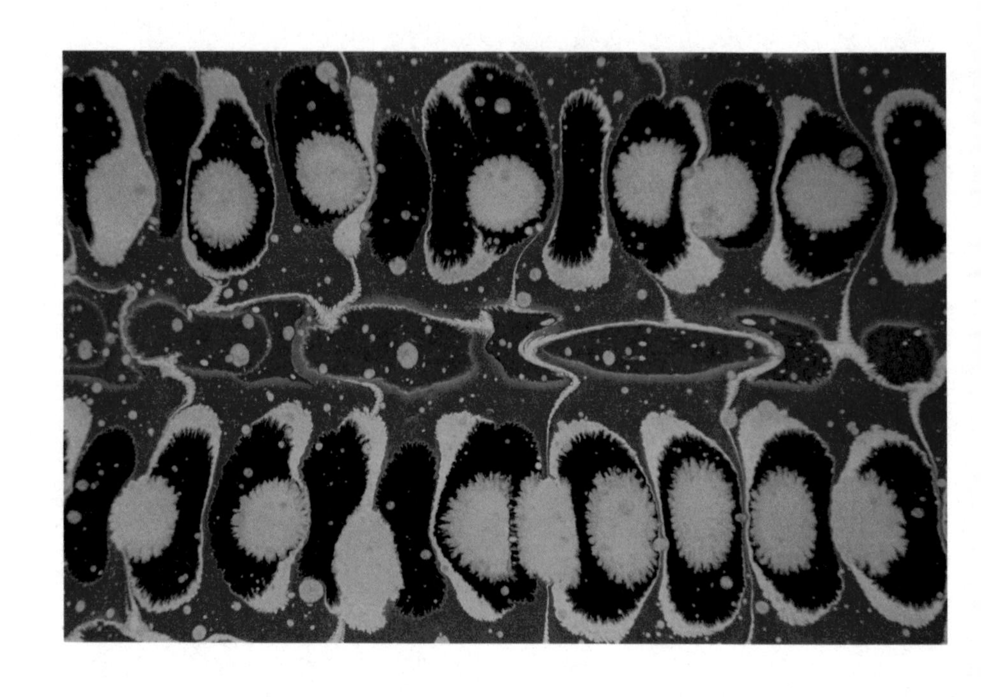

Título: Abejorros, en técnica marmoleado

Título: Recuerdos, en técnica marmoleado

Título: Espejos, en acrílico sobre lienzo.

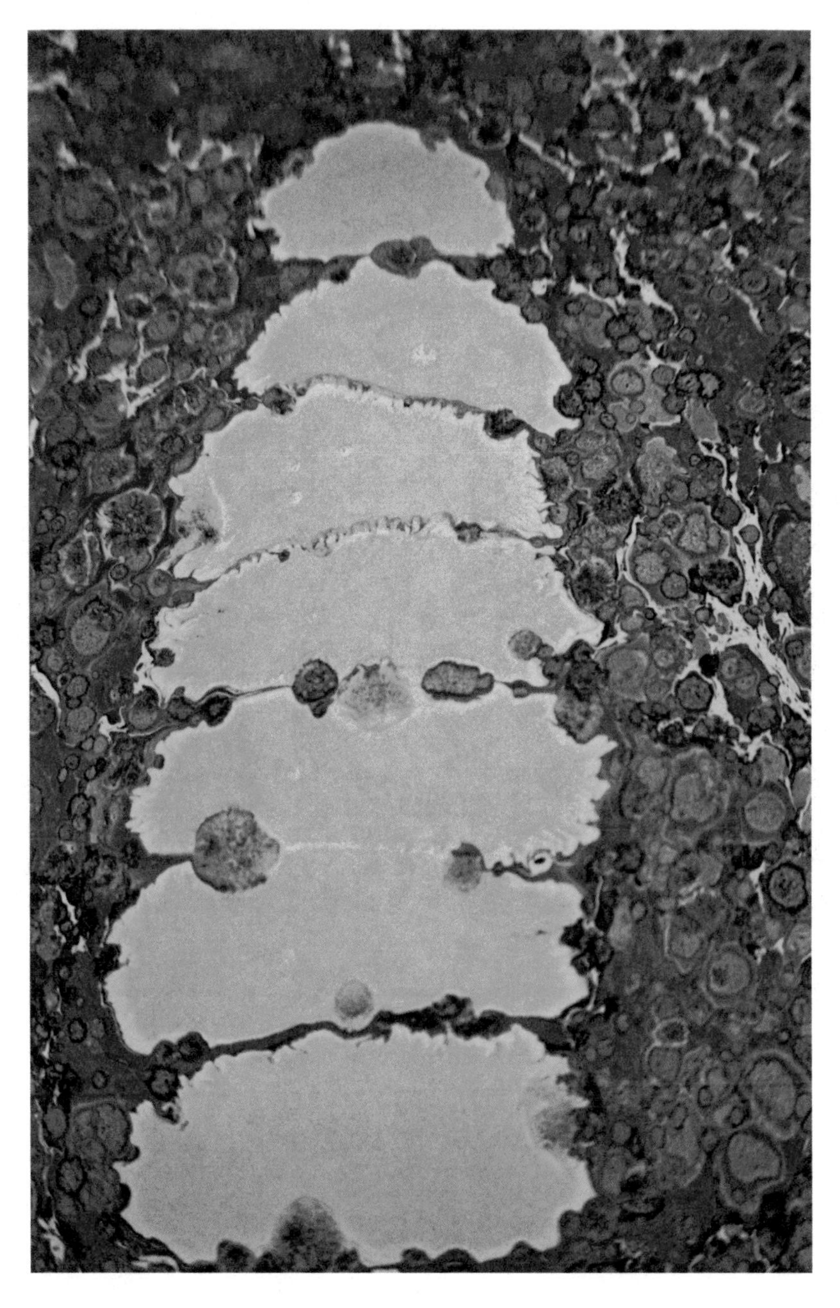

Título: Una reina, en técnica marmoleado.

Título: Entrañas, en técnica marmoleado

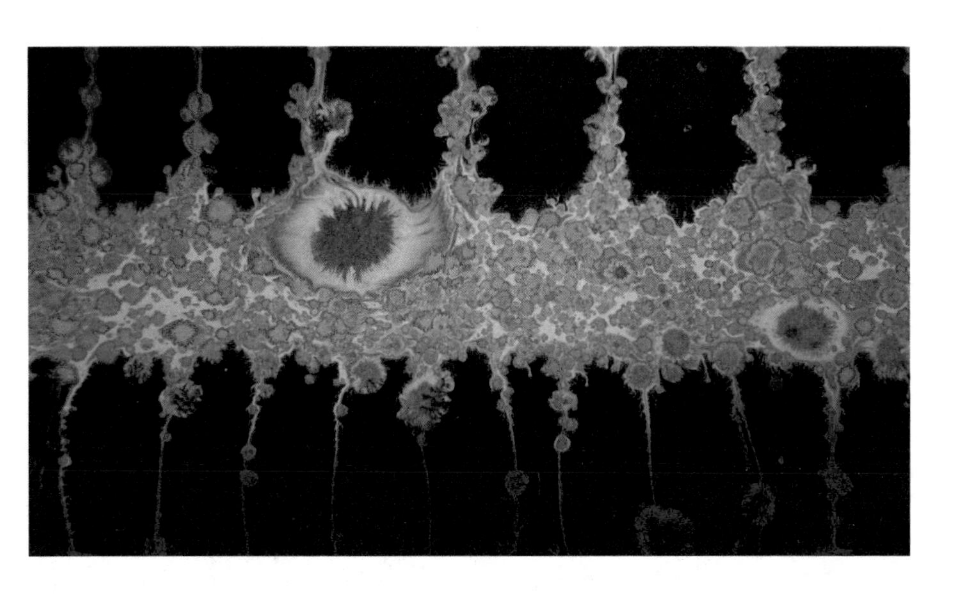

Título: La casa, en técnica marmoleado.

Título: Caminos, en acrílico sobre lienzo

Título: Pupa, en técnica marmoleado

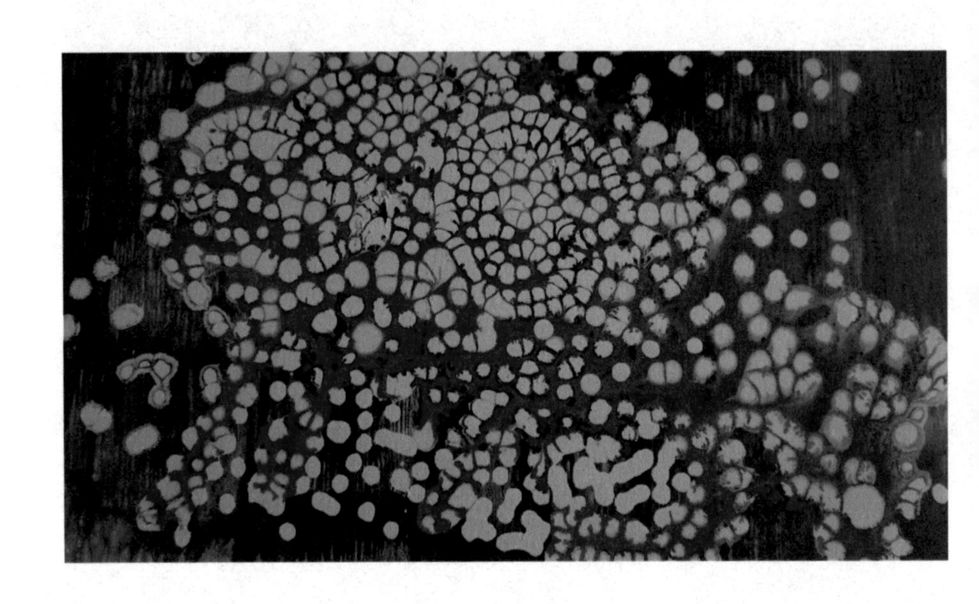

Título: Micromundo, en acrílico sobre lienzo.

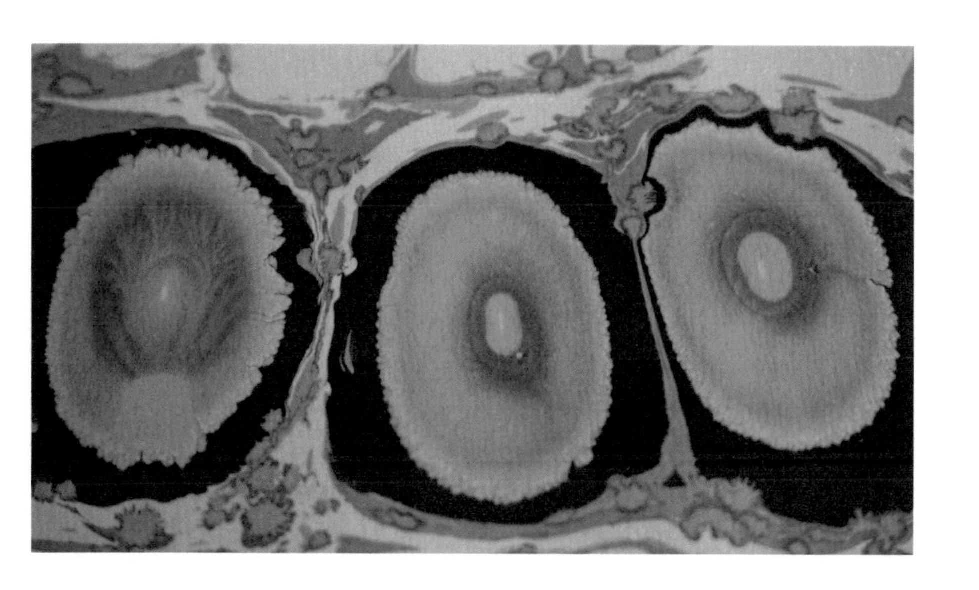

Título: Polen #6, en técnica marmoleado.

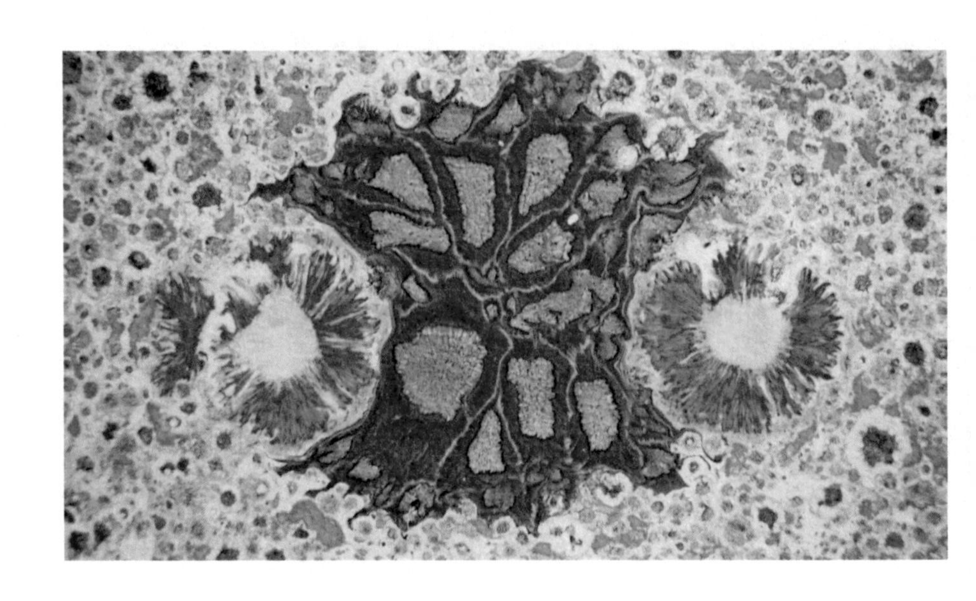

Título: Polen deforme, en técnica marmoleado

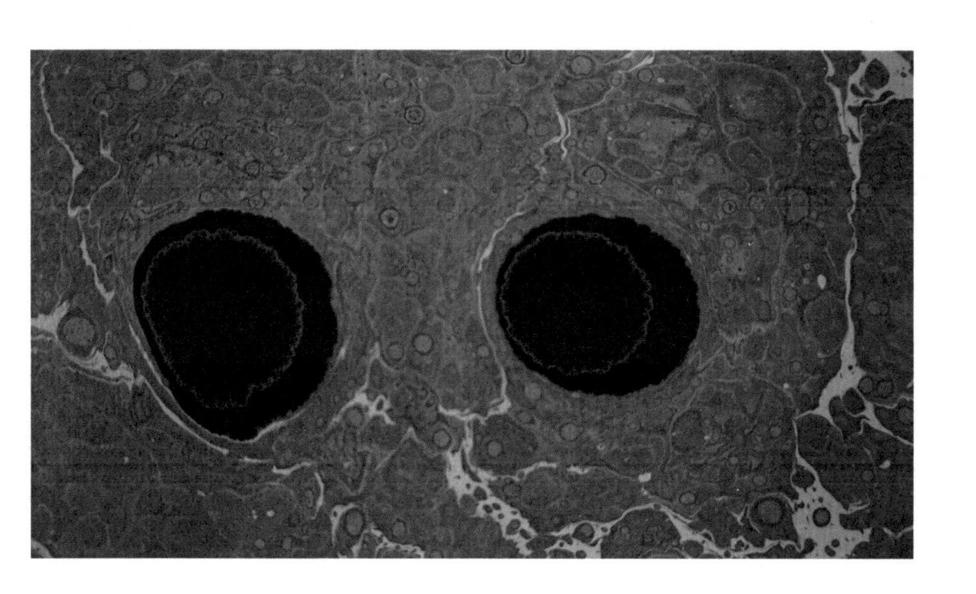

Título: Polen muerto, en técnica marmoleado.

Título: Clorofila, en acrílico sobre lienzo.

Título: Mantel, técnica marmoleado

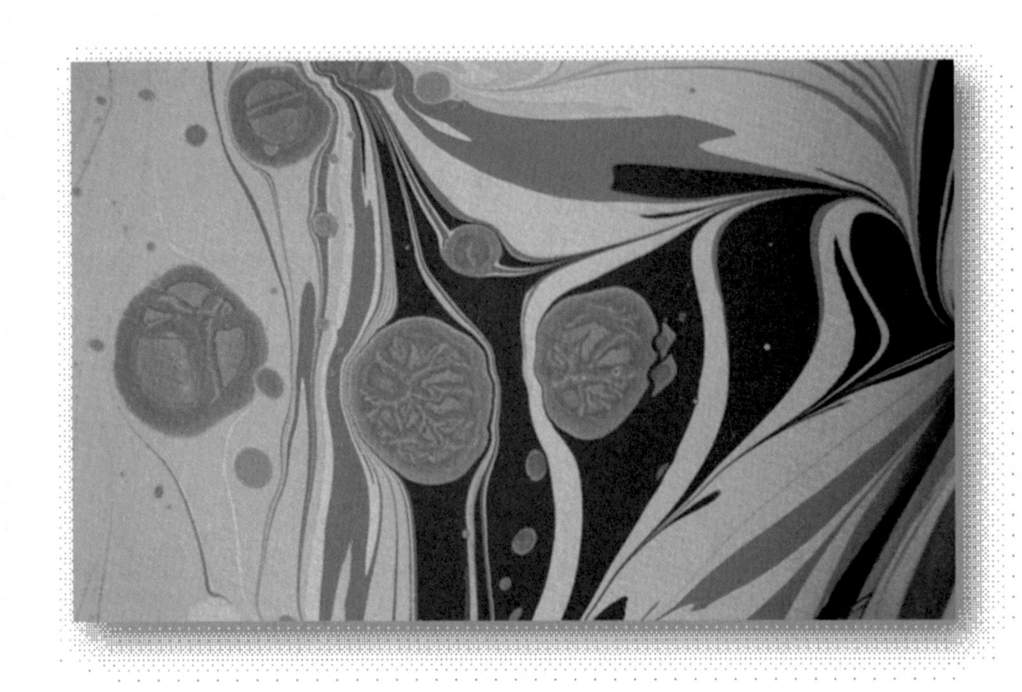

Título: Impacto, en técnica marmoleado.

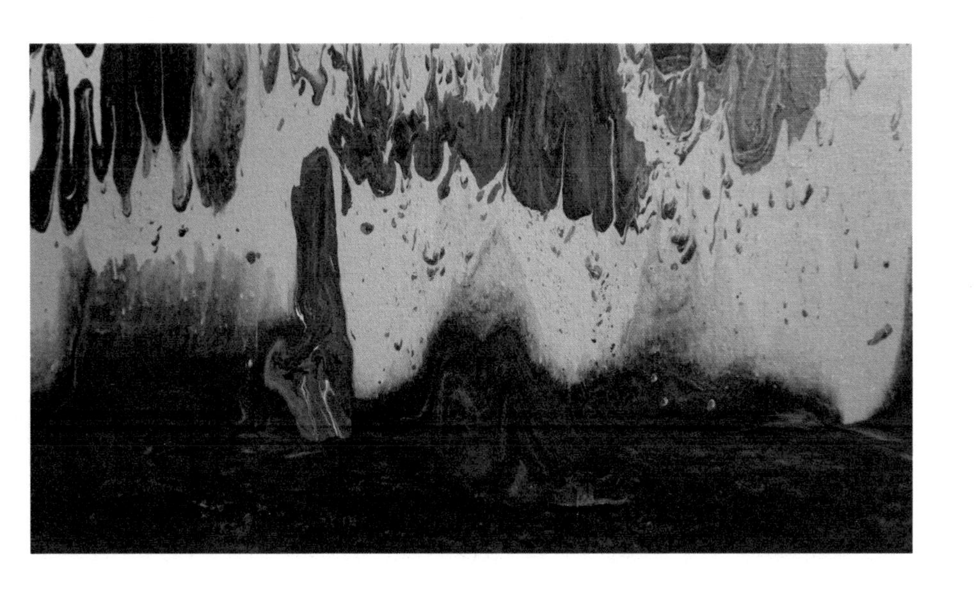

Título: Naufragio, en técnica marmoleado.

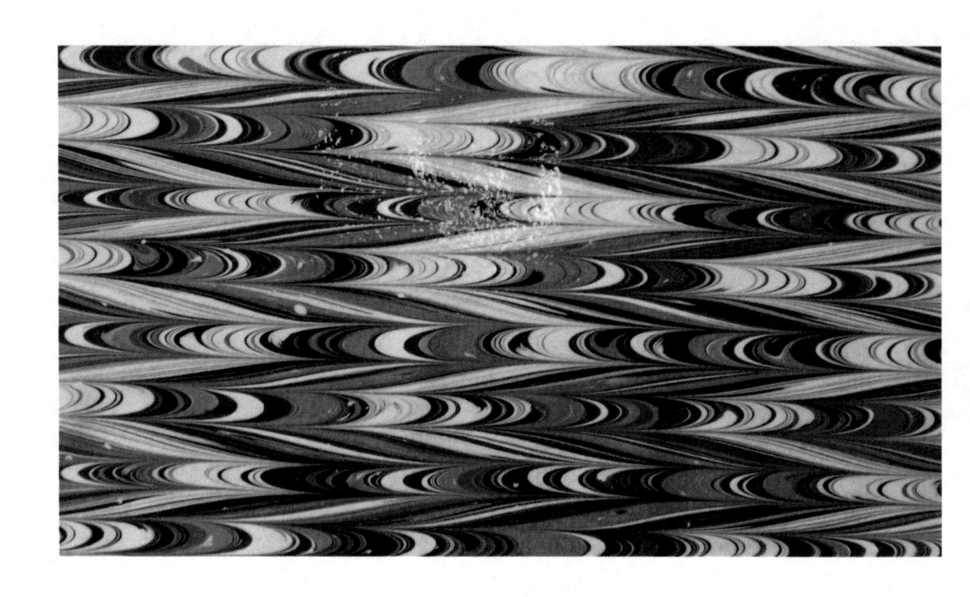

Título: Abeja verde, en técnica marmoleado, con el brillo visible de la pintura flotando sobre el agua.

INDICE **PÁGINA**

Paper Beehive

Translated by Steven F. White

Faith is a grain of pollen. Honor and glory to it.

Since the very first day, she existed, along with
the Irish moss, water, ox gall, paper and alum powder for her paintings.

They spent hour after hour attuned to their habitual joy,
creating impeccable pieces like marbled pages in ancient books.

A voice like a cicada's song gave them orders:
Break the mold! Twist the little rake for dragging paint!
Change the colors! Move the sharp-pointed tools!

And they obeyed.

Then it was that the pollen grains appeared.
Forever and ever.
Amen.

Consciousness feigns invisibility like a rain of pollen.
Pollen thou art, and unto flower shalt thou become.

When Spring comes, the pollen grains leap into the void.
They fly, happy and full of memories,
compressed into the little battleships of their bodies.
If there's rain, they'll slip over droplets, and, if not,
they'll catch the wind to roll
among sunbeams.

What a revelry of many pigments,
as if an invisible breath helped begin their journey.

There's a song, a round of fragrant Thyme, Rosemary and Roses
that shine in the river's reflected light,
releasing sweet smells and awaiting their faithful pilgrims
who will filter through buttonholes in their laughter
and congeal into new seeds.

They say that flowers are born from their memories
and live without thinking about death.

The pollen grains
are tiny lovers
colliding time and time again.
Their memory fits in diminished curves
offered by flowers.
Each small space is impregnated
with the trace that must be followed
to reach the evident contentment
of the one who awaits.

To be born and to die, that's all there is.
When I have the queen, I'll return you to your offspring.

Thousands of eyes peering from darkness
observed the possible exchange.
A foretelling of hope.
A new way toward an infertile destiny.
Could that be?

They brought forth the queen,
brought her to the portal of Pine, on the verge of death.
She resembled a blind person who has eaten well.
She seemed to see without seeing.
Being born first has advantages (it's often said)
every time she drank the milk that belonged to her sisters.

Four sisters that never knew each other,
though they shared a certain history:
their older sister had removed their heads.
Five queens? Impossible!

To think about nothing other than flying…
as well as eating, sleeping and shitting.
And death, What's death?

He saw her come stumbling from the portal of Pine.
He could barely breathe among the teeming masses
that promised so many descendants
in exchange for flying once with the queen.

He was one of those chosen to expel life within her,
nourished and tended to become a true *macho*.
To wait with patience until lust seeped from his eyes.

He took off, staring and transfixed
by the queen's enormous behind.

He passed others as best he could,
while those who tired dropped away.
She looked back to assure her task
and saw how almost a dozen torrid lovers remained.
She struck the one
who pushed into her first.
Spellbound, dazed,
he clung to the battle
from which no one returns.
Such an exclusive honor to end like this, mutilated by love.

The wings broke before taking flight.
Nothing terrifies a man more than being free.

To pursue, annihilate, kill, poison, make disappear:
these are the intelligent qualities
used by two erect extremities to strut their stuff.

The mind savors the blood of its feast
at imprecise distances.
He'll decide, and she will be his prey.

Humans have such terrible luck as a species!
As animals, they attack and exterminate each other,
doing it just for themselves.

Harakiri with nothing noble, unrefined dagger,
saber with no sign of mastery, arrow devoid of wisdom,
spear without courage, unsteady revolver,
heartless slingshot and sword without lordship.

These are attributes sculpted by the blind eye,
as if the first people were wads of phlegm
coughed onto a sphere on some whim,
born and infected by divine saliva.

What the image and likeness detests the most
is the sparkling brightness that refuses to obey and knows how to fly.

Female, born evil, hooker, witch,
whore, unmentionable, demonic, scandalous,
streetwalker, bitch, slut, sinner, vulgar,
run-of-the-mill, rude, airhead, reckless, ignorant,
arrogant, vain, and even a little worse.

That's how they describe the woman who was able to save their god.

Because blindness is not only a matter of not seeing,
but not seeing what one doesn't* want *to see.

The female worker bees believe that when god was blinded in one eye,
he decided to invent the universe.
To cure himself, he needed
a good intention that might brighten his view of things.

He took a capricious liking to a place that looked round,
into which he installed any and all shapes that occurred to him.
Flowers, plants, animals, insects,
fruit, birds, stones, water, trees…
Everything his dark desires determined.

From some spit flying into that round form
came a creature of deformed likes and dislikes, cruel affections.
He decided to apply his faithful image to it, without sacrificing an eye.

He set this first person loose, chaste and pure,
so it could do what he could not.
It was the most perfect creation he could assemble.
To sculpt himself, but with both pupils.
After each invention his desire increased
and focused attention on his one useless eye.

What annoyed the creature was the company in the darkness of his times.
Everything there was in that place made a sound,
except for his own image that could express nothing.
Had he been stillborn?

And this god was set to annul it all
when an unexpected sparkling crossed his vision
that foretold impatience and devotion.

And then he grew frightened of losing his domain.
Who had dared possess life amidst the void?
Some spark he had not invented.

He realized suddenly that he could see again!
But his dazzled eye
had a sadistic impulse loaded with punishments.
That rare clarity did not belong to him.

Eternity does not depend on time,
because in order to be happy, all calendars are broken.

Many adults as children
wished they could have been robust bumblebees.
I'd still like to be one, though I wouldn't survive
even the first winter or the burning sun.

A fun little bumblebee, with a fuzzy body
adorned with yellow, orange or white stripes.
With really long legs and a seductive tongue.

To wander through gardens
and be able to speak the refined language of flowers.
To be their matchmaker, their confidant when it comes to love,
and getting paid well in nectar.

To chase after a bunch of female workers
and convince them to take me back to their rooms.
And in exchange I'd let them suck the pollen stuck to my… legs.

A bumblebee, I wanna be a bumblebee.
A spirited singer
crossing fields of fragrant Lavender
or someone who gathers stories
from perennial Marjoram.

Just a bumblebee with its little house of mud.
The only pacifist in my whole family
with no need for a stinger to defend myself.

Detector of wicked spiders
that crouch and corrupt all the buds.
To make my way along spring boulevards
where little ladybugs parade.

To fly as far as my little wings will take me.
And to live…to live eternity
in all of thirty-two weeks.

When memory fails, no road will serve as a guide.

Exhausted,
she crisscrosses the same fields:
the weary bee at work.
Around and around
until she collapses.

The pollen baskets weigh her down.
She seeks her home in vain.
Today, she can't remember.
Tomorrow will be the same.

Where's my home? Where do I live?
She cries beyond comfort and falls asleep.

An elegant Carnation
bathed in the new nicotine
killed her.

A toxic love
might find you anywhere.

Face to face,
they don't know which of the two is a reflection.

They're a multitude and they're all the same.
In the same holes, piles of nothing
perforating the tunic that imprisons them
in the desolate, forsaken swarm.

She remained there together with her sisters.
Her mother didn't want to take her to a new house.
She doesn't know that mothers exist,
or even that she has sisters.

One of her pairs tears the tunic of confinement.
She peers out, opens the other's eyes and sees herself in them.
She's scared, because as she watches her, she sees herself.

Everything ends when it hasn't even begun.
Here, there are no blood instincts,
or some trite romantic heartbeat.
One less female in the competing line.
One less female, who lost a head
she never knew she had.

I am Apis, the queen.
We queens are born tinged with wickedness,
dauntless in any rivalry.
The first action is a triumph of blood.

Woe to those who believe themselves strong and brave
and follow her to the heights of power.

They will know the happiness of experiencing
the pain and pleasure from which no one returns.

There is no witness to describe the nuptial journey,
during which at least seven slackers
lost their virile package, including their balls.

There's no better love story
than one that vanishes without a trace.

I'll make her give birth to millions of worker bees
to regenerate the empire of forests.

In the portal, a golden light
prickled her eyes.

She felt confused amidst the sounds
that encouraged her to hurl herself ahead of them.

Her destiny had been uncovered
in the part of time that no longer turns back.

Now they knew what the new slave's kingdom was worth.
It's time to learn to be a god, (she thought).
And she let them follow her.

For some, giving birth is the best destiny.
For others, it's a piece of shit.

She should have returned to the chamber's darkness
with perpetual pregnancy as her consolation.

It was the moment to fill the house
with females and males
who would not be distracted by displays of love.
Not even from her,
their mother.

A worker bee's good fortune is her infertility.
Leaving offspring would be such an abuse.

There wasn't much to say or teach.
A dry uterus keeps no memories
and chooses no names.

They're born and they work, they work and they're born.
And one day, among many,
They can't find their way home.

Poor little workers that no one will miss.
Each one that does not return, is simply replaced.

Blood can be as fine
as the yellow silk created by a worm.

It's necessary to saturate the water's surface with colors
and avoid falling in like a heavy drop that touches bottom
or a four-leaf clover cut down in the lawn.

Both the drop and the lawn have been poisoned by repetition.

One dripped down defeated by gravity
and the other emerged from earth with its candid smile.
Innumerable deaths and none of them theirs.

The worker bees offered up their fertility to all the clover
with the good life that slipped away between four leaves.
A heavy journey, since each time it is severed,
it touches bottom like a heavy drop.

A beehive holds so much life, even if it's made of paper.

In winter, the sun decides to tie a knot around its neck
and kick away the chair where the months get their rest.
December, January, February, March and April.
So much cold that wounds without killing.

There is a pause imposed as a way of surviving like wild beasts.
To sleep the white silence of the funeral offerings
without ever ceasing to give birth to offspring you need to leave.

When the sun returns,
there won't be enough food for so many mouths.
Her children come first.

Farewell, old Apis. Get out!
Your daughter will continue giving birth,
after tearing off
heads, dicks and balls.

Always think about what you use to cover yourself
because your life is deep within.

Even the moon (they say) is going to melt
because the sun knows how poor its clothing is.
It's not difficult to imagine what will happen
to the brutal so-called intelligent species.

A little pollen grain won't be influenced by trends.
It's noble, loyal, refined, discreet and gallant.
It obeys only its spirit and the irreplaceable lineage
of being a benefactor of all that is born and lives.

A little Don Quixote in impenetrable armor,
a gaze made sharper by windmills,
galloping on the legs of a worker bee.

Forever
a faithful captive of his Dulcinea
with no Sancho Panza as a witness.

Perfection can also be modified.
The human species is an expert at deforming all that is beautiful.

Rejoice, creatures of the earth.
In the Thiamethoxam rain that feeds
the channel of deformations and dementia.
(And remember, "If it's Bayer, it's good.")
In the pulverized earth with continents of plastic,
with no neighborhoods of birds, or herds of animals
and without a single tree to cast a shadow.

Give praise with new canticles.
To the chemical ocean that devours the peaceful yawning of bears
and stains the dolphins with oil.
To bees afflicted with Alzheimer's as they pile contaminated seeds.
And to filthy beaches that applaud the orgies of wars.

Never tire in your duty to extol.
The polluted water that vomits deformed flowers.
Humanity with its crippled brain
that has constructed invisible cities,
false technologies and fallacious religions.

Clap your hands, dance and celebrate
the essence of the blind eye that accredits you with this destruction,
the fortified pillars of your misdeeds
and the pain caused by so much free will.

Soak up all the greed and lust until you burst
because it will all be rescued, cured and renovated.
The world will be resuscitated completely,
but without you, without humanity.
Hallelujah!

Each person's honor will always be questionable,
especially when the one who raises doubts
does not come from a strange world.

They'd lost so much time feeding their own executioners.
They announced how urgent it was to save their homes
and defend their few children.

The best way would be to return to the place they were from.
To cling to the paper and the pigments of memory
where she remained, painting their dwelling.

To settle the score, once and for all, and rivet honor in place.

We all shall die.
I'll die, living what never dies.

In the afternoon,
at the hour when the coffee is cold in its ceramic cup
and the table takes its siesta
under a wrinkled, crumb-covered cloth
after the midday meal.

A little girl counts the leaves.
She smells the flowers imprinted on folds
and shares some drops of honey with the worker bee
who lives behind the house.
Then she positions her skinny frame
beneath the handle spinning in her grandmother's hand.

Measure by measure, the tender grains
from the recent harvest of Corn are ground.
She enjoys the spatters of juice that roll down her forehead.

And these tears of starch
from the tender Corn's milk slipped past her big eyes
and, one by one, landed to die on her tongue as she opened her mouth.

Solitude sounds so similar to the noise of a chainsaw.

The oldest ones topple and with them the value of their years.
Each day there are evictions and silences.

The number of cemeteries grows
and emigration isn't necessary to achieve
the golden dream of owning your own tomb.

Humans never knew how to dream
because their great legacy was endless nightmare.

Give some maniac supreme power
and you'll see how he uses your guts to make a bowtie
while he turns you into his hero.

Solitude, don't delay!
It's time for your melodic voice to ring out,
piercing his bulletproof vest.

The future doesn't exist in a limited brain
that recalls only the disfigured past
repeating our present again and again.

And over time,
the humans' need to respect the beauty of beehives
and pollen grains
stopped growing.
Indeed,
they decided to cut the link to the bestial,
imagining this would be a way to stall a future
that could turn them into ephemeral beings once more.

They wanted to fill the amber cities built by worker bees
with their gigantic stingers.
They invaded living spaces, devouring the smallest creatures
and ripping out the thoraxes of their caretakers
as food for their own offspring.

But one afternoon on that single repeated day,
time played a trick on them.
It no longer wanted to give them the 24-hour needle
with the beginning and end of innocent parricides.
The night began to extend its desired burial.
Nearly all of them fled
and entered that open crack in the earth
where they expired: breath colder than an agate's
parched eyes, abandoned.

There were signs of the future exhaling
another blood poisoned as well
by the shimmering stinger
of a criminal past.

The worst of all misfortunes is celebrating
a happiness you do not possess,
a deception as great as those who say they love you.

There will be no one to hear your complaints
as the entire little world
that used to be your kingdom collapses.

Here lies the one you detested, who once believed he owned you…

Esthela Calderón (León, Nicaragua 1970). Es la autora de varios poemarios, entre ellos: *Soledad* (Editorial CIRA, 2002), que ganó el primer lugar de los Juegos Florales Centroamericanos, Belice y Panamá en 2001, *Amor y conciencia* (Editorial UNAN-León, 2004), *Soplo de corriente vital* (400 Elefantes, 2008), *La hoja* (Centro de Arte Moderno de Madrid, 2010), *Coyol quebrado* (400 Elefantes, 2012), *Los huesos de mi abuelo* (400 Elefantes, 2013) *La que hubiera sido* (Indómita Editores, Puerto Rico, 2013), *Las manos que matan* (Promotora Cultural Leonesa, 2016), Antología bilingüe *The Bones of My Grandfather* (2018) y *Leyenda urbana* (2019).. Su novela histórica *8 caras de una moneda* fue publicada en 2006 (Editorial UNAN-León) con una segunda edición tres años después. Es coautora de *Cultura y costumbres de Nicaragua* (Greenwood Press, 2008). Sus poemas han aparecido en las antologías: *El consumo de lo que somos: muestra de poesía ecológica hispánica contemporánea (Madrd, España), Ghost Fishing: An Eco-Justice Poetry (Estados Unidos), Anthology* and *The Latin American Eco-Cultural Reader (Estados Unidos), Cruce de poesía Nicaragua-El Salvador, Revista Alforja* (México), *Mujeres de sol y luna, Hermanas de tinta* (Nicaragua), *Trilogía poética de las mujeres en Hispanoamérica* (México), *El Turno del Ofendido* (El Salvador), *Ayahuasca Reader* (Estados Unidos), *The Mind of Plants: Narratives of Vegetal Intelligence*, así como también en las revistas: Nube Cónica (Chile) *World Literature Today* (Universidad de Oklahoma), *Translation Review* (Universidad de Texas en Dallas), en *Review: Literature and Arts of the Americas* (Americas Society-Nueva York), en *St. Petersburg Review*, en *ISLE* de *Oxford Journal* (Inglaterra) y en ÍNSULA (Barcelona). Incursionó con buen suceso en la pintura al ganar Mención de Honor con su cuadro "Pigmentos de la memoria" en el festival de abstractos en Saranac Lake, Nueva York, 2016. Ha realizado las exposiciones personales "Inside the Ancestral Current" (2017) en la técnica acrílico sobre lienzo y "Polen" (2019) en la técnica marmoleado, ambas en la Galería del Condado en el edificio municipal de la ciudad de Potsdam, Nueva York. Actualmente, es la directora de la Promotora Cultural Leonesa (Nicaragua) e Instructora Adjunta en el Departamento de Lenguas Modernas y Literaturas de la St. Lawrence University de Nueva York, así como también es la editora de la revista cultural en línea *Aquí y Allá* de dicho Departamento.